CW00968464

COLLECTION
CONNAÎTRE UNE OEUVRE

FSC
www.fsc.org
MIXTE
Papier issu de sources responsables
Paper from responsible sources
FSC® C105338

GUY DE MAUPASSANT

La Parure

Fiche de lecture

Les Éditions du Cénacle

ISBN 978-2-36788-850-7
Dépôt légal : Avril 2018

SOMMAIRE

BIOGRAPHIE

GUY DE MAUPASSANT

Né en 1850 à Tourville-sur-Arques, près de Dieppe, Guy de Maupassant est un écrivain français très prolifique, auteur de contes, de plus de trois cents nouvelles et de romans. Maupassant fut, dans sa jeunesse, le disciple de Flaubert. D'abord spectateur du monde paysan qui lui est familier de par son enfance à Étretat, l'auteur deviendra un observateur critique de la société et de ses mœurs. Rassemblée principalement en une décennie, de 1880 à 1890, son œuvre, souvent pessimiste, est marquée par le mouvement réaliste de son temps, mais aussi par la présence du fantastique. L'abondance de sa production et sa diversité ont fait de lui l'une des figures majeures de la littérature du XIXe siècle.

Le père de Maupassant, Gustave, est agent de change. Sa mère, Laure, issue de la bourgeoisie, possède une grande culture littéraire : elle est proche de Gustave Flaubert depuis l'enfance. En décembre 1860, l'infidélité répétée de Gustave cause la séparation des deux époux. Laure part s'installer à Étretat avec ses deux fils, Guy et Hervé.

En 1863, Guy entre à l'Institution ecclésiastique d'Yvetot, mais l'éducation religieuse ne lui convient guère et il finit par être renvoyé. Il termine sa scolarité au lycée de Rouen, où il écrit ses premiers vers. C'est à cette époque qu'il devient le disciple de Flaubert. En 1869, Maupassant débute des études de droit à Paris, mais elles sont interrompues par la guerre franco-prussienne de 1870. Maupassant s'enrôle comme volontaire dans l'armée normande. Après la guerre, il quitte la Normandie pour s'installer à Paris en 1871. Débute alors une vie légère durant laquelle Maupassant fréquente des femmes et s'amuse avec insouciance, sans oublier pourtant de se consacrer à sa vocation d'écrivain. En 1875, il publie *La Main d'écorché* dans l'Almanach lorrain. En 1876, le *Bulletin français* publie un autre de ses contes : *En canot*. En 1877, son train de vie débridé le rattrape lorsqu'il apprend qu'il est atteint de la syphilis.

À partir de 1880 commence une activité littéraire intense pour l'auteur. Flaubert continua à faire office de mentor pour Maupassant, apportant ses conseils en matière de littérature et facilitant ses débuts dans le journalisme. Par l'entremise de l'auteur, Maupassant fera la rencontre d'autres écrivains, comme Émile Zola avec qui il devient ami. Il participera d'ailleurs avec lui à l'écriture du recueil naturaliste *Les Soirées de Medan* sur le thème de la guerre de 1870. Il se fait remarquer par sa nouvelle *Boule de Suif* qui sonne alors le début de sa carrière. Le 8 mai 1880, Flaubert meurt subitement d'une hémorragie cérébrale.

Près de trois cents de ses nouvelles seront publiées durant les dix années qui suivirent, parmi lesquelles on peut citer *La Maison Tellier* (1881), *Mademoiselle Fifi* (1882), *Les Contes de la Bécasse* (1883), *La Petite Roque* (1886), ou *Le Horla* (1887). L'auteur fait aussi paraître six romans (*Une vie*, 1883, *Bel-Ami*, 1885, *Mont-Oriol*, 1887, *Pierre et Jean*, 1887-1888), tout en écrivant régulièrement des articles pour les journaux *Gil Blas*, *Le Gaulois*, *L'Écho de Paris* ou encore *Le Figaro*. On dénombre pas moins de deux cents chroniques au nom de l'auteur, qui fut l'un des journalistes littéraires les plus reconnus de son temps. Maupassant publie aussi un certain nombre de récits de voyage (*Au soleil*, 1884, *Sur l'eau*, 1888, *La Vie errante*, 1890) ainsi que quelques pièces de théâtre (*Musotte*, 1891, *La Paix du ménage*, 1893). Dans la préface de *Pierre et Jean*, l'auteur définit son style d'écriture comme étant fondé sur une observation de la réalité ravivée par l'interprétation de l'artiste.

Maupassant rencontre un succès grandissant et s'assure alors une certaine aisance financière. Il se fait construire une maison à Étretat, « La Guillette ». Son succès lui ouvre les portes des salons parisiens de la haute société. Sa vie est alors faite de mondanités, d'aventures féminines et de voyages. Son premier enfant, Lucien, naît en 1883 de son union avec une couturière. Sa fille naîtra l'année suivante, suivie d'un troisième enfant en 1887. Maupassant n'en reconnaît aucun.

Pour étayer ses articles, mais aussi pour s'éloigner de la société mondaine parisienne, Maupassant effectue de nombreux voyages en Algérie, en Italie, en Angleterre, en Sicile. Affaibli par la maladie, l'auteur recherche de plus en plus la solitude et se réfugie dans l'écriture. Influencé par les contes de Hoffmann et de Poe, mais aussi et surtout par ses propres angoisses, il s'intéresse au genre fantastique avec des nouvelles comme *La Chevelure*, *La Tombe* (1884) ou encore *Mademoiselle Hermet* (1887). Sa nouvelle *Le Horla*, publiée en 1887, atteste de manière saisissante des troubles et des peurs de l'auteur. En 1889, il publie le roman *Fort comme la mort*. La même année, son frère Hervé meurt en internement à l'âge de trente-trois ans.

Les dernières années de la vie de Maupassant sont marquées par une profonde dépression, une crainte constante de la mort et une certaine paranoïa. L'état physique et mental de l'auteur se dégrade peu à peu. Son dernier roman publié, *Notre cœur*, paraît en 1890. Il entamera la rédaction de *L'Âme étrangère* la même année, mais ne l'achèvera jamais. Même chose pour le roman *L'Angélus*, commencé en 1891.

Le 8 janvier 1892, après une tentative de suicide, Maupassant est interné dans la clinique du docteur Blanche. Il meurt à Paris le 6 juillet 1893 de paralysie générale, peu avant ses quarante-trois ans. C'est Émile Zola qui prononce l'oraison funèbre lors de son enterrement et qui propose la construction d'un monument en sa mémoire. Ce dernier est inauguré le 25 octobre 1897 au parc Monceau.

PRÉSENTATION DE LA PARURE

La Parure est une nouvelle réaliste écrite par Guy de Maupassant. Elle paraît d'abord dans la revue *Le Gaulois* le 17 février 1884, puis est reprise en 1885 dans le recueil des *Contes du jour et de la nuit*. La nouvelle s'apparente à un conte, avec une chute et une morale. À travers ce récit, Maupassant se livre à une critique de la société du XIXe siècle fondée sur le paraître et le superficiel. Le caractère vaniteux et capricieux de Mathilde Loisel est mis en avant par l'auteur, qui nous en montre ensuite les conséquences. Mme Loisel, qui se sent accablée de pauvreté alors qu'elle possède un train de vie satisfaisant, finit par connaître la vraie misère. Son caractère orgueilleux est aussi dénoncé, puisqu'en décidant de cacher sa perte du bijou à son amie, elle provoque tous ses malheurs. L'histoire encourage le lecteur à se satisfaire de ce qu'il a plutôt que de toujours désirer plus. Les codes du conte ou de la fable sont respectés puisque Maupassant assène la chute de son récit au lecteur comme une sentence, délivrant son regard critique d'une société trop matérialiste. Les objectifs complémentaires propres à la fable, plaire et instruire, sont accomplis.

La Parure appartient au mouvement réaliste, puisqu'elle décrit la vie parisienne de son époque et évoque des repères temporels précis, comme ceux du Palais-Royal, du Ministère de l'Instruction ou de l'Élysée. La nouvelle livre une représentation sociale du Paris du XIXe siècle, mettant en opposition les conditions de vie des pauvres et celles des riches. Maupassant est familier au métier d'employé de ministère pour y avoir travaillé pendant huit ans. Fidèle aux principes du réalisme, l'auteur se base sur un milieu qu'il connaît.

RÉSUMÉ DE L'OEUVRE

Mathilde Loisel est une jolie fille née d'une famille d'employés et dépourvue de dot. Sans espoir d'épouser un homme riche, elle se retrouve mariée à un membre du ministère de l'Instruction publique.

Malheureuse, elle souffre de ses moyens modestes et rêve de luxe, de se parer de bijoux et de plaire. Elle a une amie riche mais ne va presque jamais la voir tant elle est triste en rentrant chez elle.

Un jour, son mari lui apporte une invitation de la part du ministre de l'Instruction publique. Alors que M. Loisel pensait faire plaisir à sa femme, celle-ci rejette l'invitation avec dépit : elle ne peut se rendre à une telle réception, n'ayant pas de tenue adéquate. Devant le chagrin de sa femme, M. Loisel accepte de lui laisser quatre cents francs pour qu'elle s'achète une robe. Une fois la tenue achetée, Mathilde s'inquiète encore, car elle n'a aucun bijou à porter. Son mari lui suggère d'aller demander à son amie, Mme Forestier, de lui prêter un bijou.

Le lendemain, Mathilde se rend chez Mme Forestier, qui lui présente une boîte à bijoux et lui propose de choisir celui qu'elle veut. Mathilde essaye plusieurs bijoux et finit par trouver une rivière de diamants. Son amie accepte de la lui prêter.

Le soir de la fête arrive et Mathilde fait sensation auprès des autres invités. Tout le monde la remarque, la complimente et veut danser avec elle. Mathilde se sent au comble du bonheur. À quatre heures du matin, Mathilde et son mari quittent enfin la fête. Ne trouvant pas de fiacre pour les ramener chez eux, ils doivent faire une partie du chemin à pied. Mathilde ôte tristement sa belle robe, se préparant à retourner à sa vie pauvre et morne. C'est alors qu'elle s'aperçoit que la rivière de diamants n'est plus autour de son cou. Ils la cherchent partout, M. Loisel refait le chemin qu'ils ont emprunté puis va déclarer la perte à la préfecture de police et aux journaux. Le bijou reste introuvable. M. Loisel conseille à Mathilde d'écrire une lettre à son amie pour lui expliquer qu'elle doit faire réparer la fermeture de la rivière de diamants avant de la lui retourner, ce qui leur laissera un peu de temps. Au bout d'une semaine de recherches désespérées, le couple se résout à acheter un autre bijou pour le remplacer. Ils trouvent une rivière semblable à celle de Mme Forestier, qui coûte trente-six mille francs. Loisel utilise tout l'argent hérité de son père et emprunte le reste. Le bijou peut enfin être rendu à Mme Forestier, mais les Loisel sont ruinés. Ils doivent déménager dans une pauvre mansarde et entamer une vie de miséreux pour rembourser leurs dettes.

Pendant dix ans, le couple travaille sans relâche, jusqu'à l'épuisement, pour enfin rembourser toutes ses dettes. Mathilde a beaucoup vieilli, elle s'est endurcie, enlaidie. Il lui arrive encore, cependant, de penser à cette fête où elle a eu tant de succès.

Un jour, Mathilde croise Mme Forestier, qui semble être restée aussi jeune et séduisante qu'il y a dix ans. Mathilde vient saluer son amie, qui peine à la reconnaître. Mathilde lui raconte alors ses déboires depuis la perte du bijou qu'elle a dû racheter. Mme Forestier, émue, lui annonce alors que sa rivière de diamants était une fausse qui ne valait que cinq cents francs tout au plus.

LES RAISONS DU SUCCÈS

Le XIXe siècle a été marqué principalement par le mouvement romantique. Avec comme chef de file Victor Hugo, le romantisme triomphe du classicisme, en opposition duquel il s'est développé grâce à la pièce *Hernani* (1830). Le mouvement, qui prône une littérature centrée sur les sentiments des personnages et leurs états d'âme, est notamment soutenu par Chateaubriand (1768-1848) qui fait figure de précurseur avec ses *Mémoires d'outre-tombe* publiées en 1850. Lamartine (1790-1869) lancera le mouvement romantique en France à proprement parler grâce à ses *Méditations poétiques* publiées en 1820. On peut aussi citer Musset (1810-1857) avec sa *Confession d'un enfant du siècle*, parue en 1836, Alfred de Vigny (1797-1863) et *Cinq mars* (1826) ou Alexandre Dumas avec *Christine*. Le romantisme met en scène des personnages déchirés par leurs passions et leurs contradictions, et traite de thèmes comme la mélancolie, la spiritualité ou la mort. Le héros romantique est souvent en lutte avec ses émotions, et en proie à un destin plus fort que lui. C'est un personnage complexe et moralement élevé.

La Parure se présente comme une satire du romantisme, en ce qu'elle reprend les aspirations du personnage romantique pour mieux les briser. Mathilde est une femme qui rêve de changer sa destinée et de s'élever dans la société. Elle aspire à une vie qu'elle perçoit comme idéale, et qu'elle sent être faite pour elle. Mathilde aspire à s'extraire de son milieu modeste pour se mêler à celui de la haute bourgeoisie, parce qu'elle pense qu'elle y aurait mieux sa place. La jeune femme apparaît comme malheureuse et désireuse de changer le cours de sa vie. Cependant, la nouvelle détruit bien vite les rêves de Mme Loisel. La jeune femme est d'ailleurs décrite comme futile et capricieuse, son obsession pour les richesses et le paraître sont critiquées par l'auteur. Si Maupassant feint d'offrir au personnage la réalisation de ses rêves, le temps d'un bal, c'est pour mieux la replonger dans la vie réelle et tout ce qu'elle a d'injuste et cruel. Maupassant démontre alors que, dans la réalité, toute action a un prix, et que les vies parfaites n'existent pas. L'auteur n'a aucune intention d'embellir le réel ou d'offrir à ses personnages une destinée hors du commun, au contraire, il les plonge dans une réalité dure et douloureuse et leur réserve un sort médiocre, une destinée misérable de laquelle ils ne parviendront jamais à s'extirper. C'est en cela que Maupassant, loin des préoccupations du romantisme, montre son appartenance complète au mouvement réaliste, auquel il a toujours été fidèle.

Développé vers la deuxième moitié du XIXe siècle, le réalisme se veut être une réponse à la grandiloquence du romantisme. Les auteurs expriment leur désir de ramener la littérature à quelque chose de plus vrai. Leurs romans deviennent alors le résultat d'une observation minutieuse de la vie réelle. Le réalisme a pour objectif d'étudier les mœurs d'un milieu en toute objectivité, allant parfois jusqu'à s'inspirer de faits divers. Les maîtres à penser de ce mouvement furent Balzac (1799-1850) Flaubert (1821-1880) ou Stendhal (1783-1842).

Honoré de Balzac est considéré comme le précurseur du réalisme, dont il a créé les principes fondateurs en écrivant les premiers romans de sa *Comédie humaine*. Dans cette œuvre colossale, où sont regroupés quatre-vingt-dix textes, il s'est attaché à recréer la société française de son époque. En 1830 paraît *Gobseck*, le premier roman des *Scènes de la vie privée*, qui constituent une étude de mœurs précise et détaillée, avec le souci de coller au plus près à la réalité. C'est cette obsession de la vraisemblance qui établira les bases du mouvement réaliste.

Gustave Flaubert adhérera lui aussi aux préoccupations du réalisme, il considérera d'ailleurs Balzac comme son modèle. Animé du même goût de l'observation et croyant à la nécessité de refléter la réalité, Flaubert contribue au courant réaliste et à son étude des milieux sociaux avec des romans comme *Madame Bovary* (1857), *Salammbô* (1862) ou encore *Bouvard et Pécuchet* (1881).

Dans *La Parure*, Maupassant affirme son appartenance au réalisme. Il dépeint le portrait d'un couple de classe moyenne et son mode de vie ordinaire. Mathilde est mariée à un employé de ministère, vit dans un appartement sans prétention et emploie une domestique à son service. C'est une représentation réaliste d'une femme de la petite bourgeoisie au XIXe siècle. Le bal auquel se rendent les Loisel est un exemple de soirées populaires comme il y en a fréquemment à Paris à cette époque, c'est un trait connu du quotidien de la société bourgeoise. Maupassant a aussi recours à des repères de lieux précis et réels. Il évoque la plaine de Nanterre, l'adresse des Loisel à Paris, « rue des Martyrs », le bijoutier du Palais Royal et les Champs Élysées où Mathilde rencontre Mme Forestier. Autant de lieux qui ancrent la nouvelle dans un cadre réaliste.

La Parure est aussi une représentation des différentes classes sociales de son époque. D'un côté le foyer modeste de la petite bourgeoisie pour les Loisel, et de l'autre la richesse et le luxe de la haute bourgeoisie pour Mme Forestier. Maupassant dresse les relations de jalousie qui lient ces deux classes en montrant l'importance de l'argent et du paraître dans la société bourgeoise. Après l'endettement des Loisel, ceux-ci régressent jusqu'à la classe ouvrière, dont la vie de travail incessant et les conditions misérables sont aussi décrites sans détour par l'auteur.

La Parure appartient au genre du conte, réécrit selon les principes du mouvement réaliste. Développé durant le Moyen Âge, le conte eut au XVIIIe siècle un essor important, avec des auteurs comme La Fontaine ou Charles Perrault. Au XIXe siècle, il fait l'objet d'un intérêt nouveau, à l'étranger avec des auteurs comme Edgar Allan Poe (*Le Scarabée d'or*, 1843), Oscar Wilde (*Le Prince heureux*, 1888), ou encore Hans Christian Andersen et Anton Tchekhov. En France, des auteurs comme Alphonse Daudet, Théophile Gautier ou Guy de Maupassant s'emparent du conte, qu'ils ancrent à Paris et qui leur sert à décrire la société de leur temps de manière critique.

On retrouve dans *La Parure* de Maupassant le pessimisme qui l'a caractérisé dans toute son œuvre. Une idéologie qu'il tient du philosophe Schopenhauer (1788-1860), duquel l'auteur était un grand admirateur. *La Parure* reprend les préceptes du philosophe selon lesquels l'humanité serait gouvernée par une volonté, celle d'être plus, de posséder plus. Cela correspond au caractère de Mathilde Loisel, qui sera punie pour ne pas avoir su se satisfaire de ce qu'elle avait.

On note une ressemblance entre *La Parure* et *Madame Bovary* (1857) de Flaubert. Maupassant a beaucoup été influencé par Flaubert dans sa jeunesse. Il fut un modèle et un maître à penser pour lui. L'insatisfaction de Mathilde pour sa vie rappelle les déceptions d'Emma Bovary. Le thème du bal en tant que moyen d'évasion d'un morne quotidien est présent dans les deux œuvres. Les caractères de M. Loisel et de Charles Bovary sont semblables eux aussi : ils sont tous deux amoureux de leur femme, mais désemparés par son comportement et victimes de ses caprices. La nouvelle de Maupassant se détache cependant du roman de Flaubert dans la réaction des deux héroïnes face à l'endettement. Alors que Madame Bovary préfère se laisser mourir plutôt que de faire face, Mathilde se résout à une vie de dur labeur et de misère pour rembourser ce qu'elle doit. Ainsi, Maupassant parvient à livrer un récit original et à s'écarter du modèle bovarien.

La Parure est, aujourd'hui encore, l'un des textes les plus connus de Maupassant. Ayant fait l'objet de nombreuses adaptations au cinéma ou à la télévision, la nouvelle est régulièrement étudiée à l'école, où elle constitue un exemple parfait des mécanismes de la nouvelle à chute. Parmi la production très vaste de romans et de nouvelles de l'auteur, beaucoup s'accordent à dire que *La Parure* est l'un de ses meilleurs textes, tant dans la maîtrise du genre de la nouvelle que dans la précision du message de critique sociale qu'il fait passer dans son récit.

LES THÈMES PRINCIPAUX

Dans *La Parure*, Maupassant se livre à l'exercice du conte. *La Parure* rappelle ainsi le conte de *Cendrillon*, revisité selon les principes réalistes. Mathilde Loisel, une jeune femme pauvre et malheureuse, se rend au bal parée de ses plus beaux atours et suscite l'admiration des autres invités. Mais la richesse qu'elle affiche est fausse et, à l'issue de cette soirée idéale, elle doit retourner à la pauvreté. Comme Cendrillon dont le carrosse se transforme en citrouille à la fin du bal, la rivière de diamants disparaît après la soirée. Le couple est aussi forcé de rentrer chez lui à pied, d'abord, puis dans un fiacre misérable. Cendrillon perd son soulier, mais cela a des conséquences positives : le Prince la retrouve et la demande en mariage. La perte de la rivière de diamants, elle, pousse Mathilde et son mari dans la misère et les dettes. Le merveilleux du conte se heurte ainsi au fonctionnement réaliste, implacable, de la société moderne. Après avoir feint d'accorder les vœux de son personnage, Maupassant balaie les rêves idéalistes et superficiels de Mathilde pour la plonger dans une dure réalité. L'auteur teinte le conte de son pessimisme à l'égard de la société et rappelle, du même coup, que les contes de fées n'existent pas.

Le thème principal de *La Parure* est la critique de la société. Maupassant dénonce dans son récit l'obsession des classes moyennes pour l'ascension sociale. Le personnage de Mathilde est présenté de manière négative : sa vanité la pousse à feindre la richesse lors du bal, elle est aussi capricieuse et superficielle. Le comportement des Loisel paraît pathétique à la révélation de Mme Forestier. La fierté déplacée de Mme Loisel est moquée et tournée en ridicule : si elle avait eu l'honnêteté d'admettre la perte du collier à son amie, bien des malheurs auraient pu être évités.

Le message critique de Maupassant se focalise surtout sur une dénonciation d'une société obnubilée par les apparences et les futilités. La bourgeoisie place le paraître au-dessus de tout ; le titre de la nouvelle fait référence à cette importance du luxe matériel, tout autant qu'à l'obsession bourgeoise de se parer de richesses comme d'un masque trompeur. Mathilde a honte de son foyer modeste et a la sensation qu'elle sera mal jugée et rejetée pour cela : « Il n'y a rien de plus humiliant que d'avoir l'air pauvre au milieu de femmes riches. » C'est la raison qui la pousse à tromper tous les invités de la soirée, en se faisant passer pour plus riche qu'elle ne l'est. Le comportement de la jeune femme est donc une réaction à un modèle social qui place la richesse au-dessus de toute autre préoccupation.

La prédominance du paraître sur la vérité est aussi démontrée par la révélation finale. Cette superbe rivière de diamants que Mme Forestier a prêtée à Mathilde et dont elle était si fière, était en réalité une fausse. Ainsi, même les plus riches sont faux et vivent dans le mensonge. À la tromperie de Mme Forestier s'ajoute celle de Mathilde, qui est fière de révéler sa supercherie à Mme Forestier. Malgré les épreuves traversées, Mathilde n'a pas changé et demeure orgueilleuse : « Elle souriait d'une joie orgueilleuse et naïve. »

Le péché d'orgueil qui caractérise Mathilde est plusieurs fois dénoncé par Maupassant. La jeune femme se montre capricieuse envers son mari, qu'elle pousse à dépenser une grosse somme d'argent pour lui permettre de se vêtir au-dessus de ses moyens. C'est de cet orgueil déplacé que naît tout le malheur de Mathilde, et à chacune de ses manifestations, sa situation empire : elle veut de beaux bijoux pour le bal, mais elle perd celui que lui prête Mme Forestier. Parce qu'elle est trop fière pour admettre la faute à son amie, elle s'endette inutilement et sombre dans la misère. Enfin lorsqu'elle avoue la vérité à Mme Forestier, par fierté encore, d'être parvenue à la tromper avec le collier acheté, elle apprend que tous ses sacrifices ont été effectués pour rien.

ÉTUDE DU MOUVEMENT LITTÉRAIRE

Apparu en France au milieu du XIXe siècle, le réalisme est un mouvement à la fois pictural et littéraire. En réaction au romantisme qui mettait le sentiment en exergue au prix, parfois, de la vraisemblance, le réalisme s'efforce d'effectuer une reproduction la plus fidèle possible du réel. Le roman réaliste constitue une représentation du quotidien et s'intéresse à toutes les classes sociales. Les auteurs de ce mouvement se font observateurs avant tout : ils doivent décrire ce qu'ils connaissent, en toute objectivité, sans chercher à l'embellir. Le réalisme est une étude des mœurs de la société et des individus qui la composent. Dans leur souci du vrai et leur détermination à éviter toute recherche du spectaculaire ou de l'héroïque, les romanciers réalistes s'opposent aux mouvements historique, romantique ou lyrique. Plutôt que de se considérer comme un art, le roman réaliste s'inscrit dans un objectif scientifique. Plus qu'un simple divertissement, il se doit d'apporter quelque chose à la société. Cette recherche constante du vrai et de l'objectivité s'accompagne parfois d'une absence de style : le réalisme décrit la réalité telle qu'elle est, même lorsqu'elle est ordinaire, médiocre ou vulgaire. Le réalisme rejette aussi la technique du narrateur qui intervient dans l'histoire, et met en avant son personnage. Le roman est vu à travers son regard et son point de vue est le seul qui soit donné à l'auteur. La recherche du réel se traduit également par un récit précisément ancré dans l'espace, avec des descriptions de lieux très détaillées.

Le mouvement réaliste naît dans une période marquée par les bouleversements. La révolution industrielle provoque un développement de l'édition et de la presse, ces deux univers s'allient même dès 1836 pour créer les romans-feuilletons. La littérature devient alors plus universelle, elle peut toucher un plus grand nombre. En outre, l'apparition du prolétariat et des premières manifestations ouvrières deviennent une nouvelle source de préoccupation et d'inspiration pour les auteurs.

Le réalisme littéraire entretient une relation étroite avec la peinture. C'est d'ailleurs dans cet art que le réalisme a pour la première fois fait parler de lui, à travers le tableau de Gustave Courbet *Un enterrement à Ornans*. Le tableau suscita une polémique et on accusa le peintre de représenter le vulgaire et le laid. L'œuvre devint rapidement un manifeste du réalisme, duquel est né par la suite le réalisme littéraire.

En 1856 est lancée la revue *Réalisme*. Créée par le romancier Louis-Edmond Duranty (1833-1880), la revue critique le romantisme et la vision uniquement divertissante de la littérature. À propos de l'objectif de la revue, Duranty écrira : « Beaucoup de romanciers, non réalistes, ont la manie de faire exclusivement dans leurs œuvres l'histoire des âmes et non celle des hommes tout entiers. [...] Or, au contraire, la société apparaît avec de grandes divisions ou professions qui *font* l'homme et lui donnent une physionomie *plus saillante* encore que celle qui lui est faite par ses instincts naturels ; les principales passions de l'homme s'attachent à sa profession sociale, elle exerce une pression sur ses idées, ses désirs, son but, ses actions. »

Le réalisme s'est progressivement imposé dans le monde entier. Il apparaît d'abord en Allemagne, vers 1830, avant de se propager en Angleterre puis aux autres pays, jusqu'à la Russie et les États-Unis. Cependant, c'est en France qu'il aura la plus grande influence, grâce à un certain nombre d'auteurs investis dans ce mouvement. Balzac, Stendhal, Flaubert, Zola, Maupassant, Huysmans sont autant de noms qui ont contribué au développement du réalisme.

Alors que les mouvements précédents se faisaient souvent idéalistes, décrivant la vie comme elle devrait être, plus heureuse et plus juste, récompensant les gens honnêtes et braves et punissant les personnes mauvaises, le réalisme décrit le monde comme il est réellement, sans rien cacher. Il n'hésite pas à montrer la misère sociale des classes défavorisées dans des romans qui ont rarement une fin heureuse ou morale. Le réalisme est en cela pessimiste, mais dans une volonté d'ouvrir les yeux de la population, de lui faire prendre conscience de certains aspects de la société qui pourraient leur être inconnus.

Le réalisme se divise principalement en trois courants : le premier traite de la littérature comme d'un reportage journalistique, un état des faits totalement objectif. C'est la technique employée par Champfleury (1821-1889), qui était par ailleurs journaliste et qui fut l'un des défenseurs du réalisme. Le deuxième courant, représenté notamment par Flaubert, Baudelaire, et plus tard Proust, associe le critère du beau à celui du vrai. Le troisième courant est celui des œuvres engagées. Les romans ne sont pas préoccupés par l'art, ils ont une portée sociale, un message à faire passer. Le réalisme affirme ainsi un désir de dénoncer et de contribuer à une réformation de la société. C'est cette volonté qui fit des réalistes des écrivains polémiques qui verront souvent leurs œuvres soumises à des procès et censurées, comme ce fut le cas de Flaubert, Baudelaire ou encore Maupassant.

Le réalisme naît aussi d'une époque particulière, qui voit apparaître les sciences humaines. Les auteurs peuvent alors se servir des connaissances nouvellement acquises en biologie, psychologie et sociologie pour élaborer leurs personnages et leurs intrigues.

En accord avec les évolutions de son époque, le mouvement réaliste s'attache à représenter les classes sociales jusque-là délaissées par la littérature. Celle des ouvriers, des hommes qui vivent dans la misère, des prostituées... Des thèmes tels que ceux du travail, des relations homme-femme ou des injustices sociales deviennent les préoccupations principales des romanciers. En outre, la nécessité de se fonder sur le réel et des expériences vécues donnera un aspect plus personnel au roman, qui se fait souvent plus ou moins autobiographique.

Les auteurs traiteront de ces thèmes chacun à leur façon. Ainsi, Balzac, dans *La Comédie humaine*, n'hésite pas à décrire des réalités communément ignorées par la littérature parce que trop vulgaires ou trop banales. Balzac présentera le quotidien de toutes les classes sociales, excepté la classe ouvrière. Ses romans critiquent notamment la place trop importante de l'argent dans la société.

Le réalisme se caractérise également par la dimension pédagogique qu'il s'efforce d'adopter. En effet, des auteurs comme Balzac, Stendhal ou Zola auront à cœur d'expliquer dans le détail certains aspects de la société. L'écriture est vue comme un moyen d'enseignement. Elle apprend, révèle et ouvre les yeux sur certains aspects méconnus de la société.

Dans sa recherche de véracité, le réalisme en vient à devenir un mouvement de déconstruction des idées véhiculées jusqu'ici : celles d'un optimisme, d'une morale et d'une justice que l'observation de la réalité a démentie. L'homme n'est plus mis en valeur mais présenté dans toute sa nudité, avec ses défauts et ses failles. Son succès ou ses échecs ne sont plus conditionnés par son mérite mais par le fonctionnement, souvent arbitraire et injuste, de la société moderne.

On ne peut parler du réalisme sans évoquer le mouvement qu'il a initié, et qui s'est placé dans sa continuation directe : le naturalisme. Issu directement des principes réalistes, il est élaboré par Émile Zola dans un désir de renforcer l'aspect scientifique de la démarche de l'auteur. Influencé par la méthode expérimentale, il veut faire du roman une véritable analyse des phénomènes biologiques et sociologiques, s'intéressant notamment à l'hérédité, à l'influence du milieu social ou de la psychologie. Le roman, pour Zola, devient le lieu d'une expérience, fondée en premier lieu sur une observation minutieuse du réel et, en second lieu, de l'étude des conséquences des faits observés. L'œuvre la plus représentative du naturalisme est celle des *Rougon-Macquart*. En l'espace de vingt romans, et par un processus de recherche et d'analyse, l'auteur retrace l'histoire d'une famille génération après génération en démontrant toutes les conséquences de l'hérédité sur un individu.

Mis à part un désir identique de se faire les représentants de la société et de leur époque dans son intégralité, les auteurs réalistes montrent peu de traits communs ; il leur arrive d'ailleurs souvent de débattre de leurs divergences. Ainsi, dans une lettre écrite au romancier russe Ivan Tourgueniev en novembre 1877, Flaubert s'agace du réalisme exacerbé de Zola : « La réalité, selon moi, ne doit être qu'un tremplin. Nos amis sont persuadés qu'à elle seule elle constitue tout l'État ! Ce matérialisme m'indigne, et, presque tous les lundis, j'ai un accès d'irritation en lisant les feuilletons de ce brave Zola. » De la même manière, Maupassant critique le dramaturge Henri Monnier en ces termes : « Henri Monnier n'est pas plus vrai que Racine. » Duranty, lui, reproche à *Madame Bovary* de manquer de sentiment dans un article de la revue *Réalisme* : « Trop d'étude ne remplace pas la spontanéité qui vient du sentiment. »

Malgré ces désaccords dans le niveau de réalisme à employer dans leurs œuvres, les auteurs se rejoignent dans leur volonté de donner à la littérature une dimension plus scientifique, et d'en faire le lieu d'étude privilégié de l'homme et de son environnement.

DANS LA MÊME COLLECTION
(par ordre alphabétique)

- **Anonyme**, *La Farce de Maître Pathelin*
- **Anouilh**, *Antigone*
- **Aragon**, *Aurélien*
- **Aragon**, *Le Paysan de Paris*
- **Austen**, *Raison et Sentiments*
- **Balzac**, *Illusions perdues*
- **Balzac**, *La Femme de trente ans*
- **Balzac**, *Le Colonel Chabert*
- **Balzac**, *Le Lys dans la vallée*
- **Balzac**, *Le Père Goriot*
- **Barbey d'Aurevilly**, *L'Ensorcelée*
- **Barbey d'Aurevilly**, *Les Diaboliques*
- **Bataille**, *Ma mère*
- **Baudelaire**, *Les Fleurs du Mal*
- **Baudelaire**, *Petits poèmes en prose*
- **Beaumarchais**, *Le Barbier de Séville*
- **Beaumarchais**, *Le Mariage de Figaro*
- **Beauvoir**, *Mémoires d'une jeune fille rangée*
- **Beckett**, *Fin de partie*
- **Brecht**, *La Noce*
- **Brecht**, *La Résistible ascension d'Arturo Ui*
- **Brecht**, *Mère Courage et ses enfants*
- **Breton**, *Nadja*
- **Brontë**, *Jane Eyre*
- **Camus**, *L'Étranger*
- **Carroll**, *Alice au pays des merveilles*
- **Céline**, *Mort à crédit*
- **Céline**, *Voyage au bout de la nuit*

- **Chateaubriand**, *Atala*
- **Chateaubriand**, *René*
- **Chrétien de Troyes**, *Perceval*
- **Cocteau**, *Les Enfants terribles*
- **Colette**, *Le Blé en herbe*
- **Corneille**, *Le Cid*
- **Crébillon fils**, *Les Égarements du cœur et de l'esprit*
- **Defoe**, *Robinson Crusoé*
- **Dickens**, *Oliver Twist*
- **Du Bellay**, *Les Regrets*
- **Dumas**, *Henri III et sa cour*
- **Duras**, *L'Amant*
- **Duras**, *La Pluie d'été*
- **Duras**, *Un barrage contre le Pacifique*
- **Flaubert**, *Bouvard et Pécuchet*
- **Flaubert**, *L'Éducation sentimentale*
- **Flaubert**, *Madame Bovary*
- **Flaubert**, *Salammbô*
- **Gary**, *La Vie devant soi*
- **Giraudoux**, *Électre*
- **Giraudoux**, *La Guerre de Troie n'aura pas lieu*
- **Gogol**, *Le Mariage*
- **Homère**, *L'Odyssée*
- **Hugo**, *Hernani*
- **Hugo**, *Les Misérables*
- **Hugo**, *Notre-Dame de Paris*
- **Huxley**, *Le Meilleur des mondes*
- **Jaccottet**, *À la lumière d'hiver*
- **James**, *Une vie à Londres*
- **Jarry**, *Ubu roi*
- **Kafka**, *La Métamorphose*
- **Kerouac**, *Sur la route*
- **Kessel**, *Le Lion*

- **La Fayette**, *La Princesse de Clèves*
- **Le Clézio**, *Mondo et autres histoires*
- **Levi**, *Si c'est un homme*
- **London**, *Croc-Blanc*
- **London**, *L'Appel de la forêt*
- **Maupassant**, *Boule de suif*
- **Maupassant**, *La Maison Tellier*
- **Maupassant**, *Le Horla*
- **Maupassant**, *Une vie*
- **Molière**, *Amphitryon*
- **Molière**, *Dom Juan*
- **Molière**, *L'Avare*
- **Molière**, *Le Malade imaginaire*
- **Molière**, *Le Tartuffe*
- **Molière**, *Les Fourberies de Scapin*
- **Musset**, *Les Caprices de Marianne*
- **Musset**, *Lorenzaccio*
- **Musset**, *On ne badine pas avec l'amour*
- **Perec**, *La Disparition*
- **Perec**, *Les Choses*
- **Perrault**, *Contes*
- **Prévert**, *Paroles*
- **Prévost**, *Manon Lescaut*
- **Proust**, *À l'ombre des jeunes filles en fleurs*
- **Proust**, *Albertine disparue*
- **Proust**, *Du côté de chez Swann*
- **Proust**, *Le Côté de Guermantes*
- **Proust**, *Le Temps retrouvé*
- **Proust**, *Sodome et Gomorrhe*
- **Proust**, *Un amour de Swann*
- **Queneau**, *Exercices de style*
- **Quignard**, *Tous les matins du monde*
- **Rabelais**, *Gargantua*

- **Rabelais**, *Pantagruel*
- **Racine**, *Andromaque*
- **Racine**, *Bérénice*
- **Racine**, *Britannicus*
- **Racine**, *Phèdre*
- **Renard**, *Poil de carotte*
- **Rimbaud**, *Une saison en enfer*
- **Sagan**, *Bonjour tristesse*
- **Saint-Exupéry**, *Le Petit Prince*
- **Sarraute**, *Enfance*
- **Sarraute**, *Tropismes*
- **Sartre**, *Huis clos*
- **Sartre**, *La Nausée*
- **Senghor**, *La Belle histoire de Leuk-le-lièvre*
- **Shakespeare**, *Roméo et Juliette*
- **Steinbeck**, *Les Raisins de la colère*
- **Stendhal**, *La Chartreuse de Parme*
- **Stendhal**, *Le Rouge et le Noir*
- **Verlaine**, *Romances sans paroles*
- **Verne**, *Une ville flottante*
- **Verne**, *Voyage au centre de la Terre*
- **Vian**, *J'irai cracher sur vos tombes*
- **Vian**, *L'Arrache-cœur*
- **Vian**, *L'Écume des jours*
- **Voltaire**, *Candide*
- **Voltaire**, *Micromégas*
- **Zola**, *Au Bonheur des Dames*
- **Zola**, *Germinal*
- **Zola**, *L'Argent*
- **Zola**, *L'Assommoir*
- **Zola**, *La Bête humaine*
- **Zola**, *Nana*
- **Zola**, *Pot-Bouille*